Cari amici roditori, benvenuti nel mondo di

Geronimo Stilton!

LA REDAZIONE DELL'ECO DEL RODITORE

1. Clarinda Sottiletta
2. Zuccherina Formaggetti
3. Topisa Rodicelli
4. Soia Topiunchi
5. Quesita de la Pampa
6. Toperia Topetti
7. Gigio Topigio
8. Sorcetta Zampetta
9. Pina Topozzi
10. Torquato Travolgiratti
11. Val Kashmir
12. Trappola Stilton
13. Cruscola De Muscolis
14. Zeppola Zap
15. Merenguita Gingermouse
16. Topea Sha Sha
17. Toperto Toposo
18. Tibetopo De Sciarpis
19. Tea Stilton
20. Refusella Topato
21. Pinky Pick
22. Yaya Kashmir
23. Topella Von Draken
24. Certosina Kashmir
25. Blasco Tabasco
26. Toffina Sakkarina
27. Ratterto Rattonchi
28. Larry Keys
29. Mac Mouse
30. Geronimo Stilton
31. Benjamin Stilton
32. Toponauta Sorcetti
33. Topufola Sorcetti

Geronimo Stilton

UNA GRANITA DI MOSCHE PER IL CONTE

PIEMME
Junior

GERONIMO STILTON
TOPO INTELLETTUALE,
DIRETTORE DE L'ECO DEL RODITORE

TEA STILTON
SPORTIVA E GRINTOSA,
INVIATO SPECIALE DE L'ECO DEL RODITORE

TRAPPOLA STILTON
INSOPPORTABILE E BURLONE,
CUGINO DI GERONIMO

BENJAMIN STILTON
TENERO E AFFETTUOSO,
NIPOTINO DI GERONIMO

Testi di Geronimo Stilton
Illustrazioni di Matt Wolf
Grafica di Merenguita Gingermouse

Geronimo Stilton® è un marchio registrato in tutto il mondo.

Sito Internet: **www.geronimostilton.it**

I Edizione 2000

© 2000 - EDIZIONI PIEMME Spa
        15033 Casale Monferrato (AL) - Via del Carmine, 5
        Tel. 0142-3361 - Telefax 0142-74223

Stampa: Stige S.p.a. - San Mauro (TO)

CHE NOTTE,
QUELLA NOTTE!

Che notte, quella notte! Era novembre, e faceva un freddo felino. Rintanato sotto le coperte, leggevo un libro di storie di fantasmi, ascoltando la pioggia picchiettare contro i vetri, quando d'improvviso si spalancò una finestra.

Il vento fece gonfiare la tenda proprio come

swissshhhhhh!

il lenzuolo
di un fantasma.
– Squiiit! – balzai giù dal letto
rabbrividendo.

Appoggiai il muso contro il vetro e guardai fuori: che notte, quella notte!

In quel momento...

– Drinnn! – chi poteva telefonare, a quell'ora? Gettai uno sguardo all'orologio: cinque minuti a mezzanotte.

Il telefono, insistente, continuava a suonare.

– Drin, drinn, drinnn!

– Pronto! Pronto, chi parla?

– *Prontooo??? Geronimooo???* – echeggiò una voce lontana lontana.

– Sì, sono io. Sono Geronimo, Geronimo Stilton! – strillai, poi mi parve di riconoscere la voce di mio cugino. – Trappola, sei tu? Ma dove sei? Da dove chiami?

– *Chiamo dalla Trans...*

– Cosa?

– *Trans... topacchiaaa!*

– Transtopacchia? Ma che ci fai lì?

– *...castellooo... conteee... Topesch... vieni subitooo...*

– Pronto, Trappola? Trappola! Che cos'è successo? Rispondi...

A PORTATA
DI ZAMPA

Chiamai subito Tea, mia sorella. – Mi ha telefonato Trappola: forse è nei guai.
– E mi svegli per questo? – sbadigliò lei.

– Chiamava da lontano, credo fosse in Transtopacchia...

Lei cambiò subito tono. – *Transtopacchia?* Hai detto *Transtopacchia?* Trappola ha chiamato dalla *Transtopacchia?* Ma allora dobbiamo andare a cercarlo. *Subito! Immediatamente! Adesso!* Guarda, ho giusto a portata di zampa l'orario ferroviario...

– Ma come? Aspetta, veramente... – mormorai, frastornato.

Lei sbuffò: – Il tuo povero cugino è nei guai e tu non ti preoccupi neanche? Hai un cuore di ghiaccio, anzi di pietra, sei un egoista, un insensibile, mi stupisco di te, vergognati!

– Ehmmm – dissi io – però, forse, certo...

– Bene, allora è deciso: si parte domattina alle sei e trenta. Ci vediamo alla stazione. Ciao!

QUANDO IL GATTO NON C'È...

Alle sei ero già alla stazione, pronto a tutto.
Avevo ascoltato le previsioni del tempo:
– Cielo sereno su tutta l'isola.

Nebbia, come al solito, in Transtopacchia!

Perché, perché, perché mio cugino era scomparso proprio nella regione più fredda dell'isola? Più fredda e anche più misteriosa: quante leggende sui castelli transtopacchi e sui suoi fantasmi!
Finalmente Tea arrivò.
– Ehilà, fratellino! Come va?

Alle sei ero già alla stazione, pronto a tutto!

– Malissimo! – sbuffai cupamente, pensando alla redazione del mio giornale, l'*Eco del Roditore*. – Che cosa combineranno al giornale, senza di me? *Quando il gatto non c'è, i topi ballano!*

Lei mi strizzò l'occhio: – Uh, esagerato.

– Ti ricordo che dirigo un quotidiano! – risposi, solenne. – Se non ci sono io in redazione, chi lo fa uscire, *l'Eco del Roditore?*

– Ma va là, senza di te la redazione va avanti benissimo. Anche meglio! – sogghignò Tea, che è l'inviato speciale del mio giornale. – A proposito, fratellino, devo dirti una cosa... ehm, conosci la *Gazzetta del Ratto?* – chiese con aria sorniona.

LA GAZZETTA DEL RATTO???

– risposi, irritato. – Chi, quei giornalisti da strapazzo, quelle facce di fontina, quelle pantegane di fogna? Gli cadesse la coda, gli si scheggiasse un incisivo, se li mangiasse un gatto! Il loro giornale è buono tutt'al più per avvolgerci le

aringhe. Marce, però! Quelli lì, per uno scoop farebbero qualsiasi cosa. A proposito, che cosa dovevi dirmi?

– Ehm, sai, adesso va di moda il genere *horror,* spettri, fantasmi, vampiri e giù di lì... beh, ecco, ho avuto un'idea per uno scoop: un bel servizio esclusivo sui castelli transtopacchi. Ho già venduto il servizio, me l'hanno pagato bene, anzi benissimo, me l'hanno strapagato!

– Che cosa? – urlai – Adesso capisco perché avevi tanta fretta di partire per la Transtopacchia. Ma a chi l'hai venduto?

– Ehm, alla *Gazzetta del Ratto...*

– Che cosaaa? – gridai indignato. – Ma no scherzavo, – sorrise Tea – però potremmo farlo noi un bel servizio sulla Transtopacchia!

PAROLA
DI RODITORE

In quel momento udii uno scricchiolio. Mia
sorella con un balzo mi si parò davanti.

– Che c'è? Cosa combini?

– Niente, niente, come sei sospettoso!

Feci un balzo a sinistra ma Tea mi
aveva già preceduto. Un balzo
a destra, ma lei mi anticipò.

– Bastaaa! Che c'è lì dietro?

Tea sbuffò: – C'è un baule,
ecco cosa c'è!

In quel momento il baule sus-
sultò come se fosse vivo, poi
si spalancò e spuntarono due

piccole orecchie. Era Benjamin, il mio nipotino:

– Ciao, zio Gerry!

– Che ci fa Benjamin qui? – gridai. – Non si può portare un topolino piccolo come lui in Transtopacchia!

– Non sono piccolo! Ho quasi nove anni! – strillò mio nipote. – E poi, zia Tea ha detto che le farò comodo, le serve un segretario per fare le commissioni, portarle il baule...

– No, no e no! Neanche per sogno! Non se ne parla neppure! Parola di roditore, questa volta si fa come dico io. Se no, non mi chiamo più **Geronimo Stilton!**

GRUPPO EDITORIALE STILTON

Geronimo Stilton
topo editore

Via del Tortellino 13 – 13131 Topazia

STAZIONE DI TOPEEESCH...

Dieci minuti dopo eravamo seduti tutti e tre sullo strapuntino dello scompartimento, mentre il treno ci portava lontano.

– Grrr... – mugugnavo io.

Mia sorella invece era di ottimo umore e leggeva ad alta voce una guida turistica della Transtopacchia: – "Immerso nella nebbia transtopazica, in cima a un picco impervio, il castello di Topesch è avvolto da un alone di mistero..."

Benjamin si era infilato sotto il mio cappotto.

– Brrr, che freddo. Ma non importa, sono così felice di viaggiare con te, zio Geronimo! – squittiva contento. Io gli accarezzai teneramente le orecchiette. Benjamin è il mio nipote preferito...

Passavano le ore: il paesaggio diventava sempre più cupo. Il treno, che alla partenza era fitto di passeggeri, si svuotò lentamente. Così, quando il treno giunse a Topesch eravamo rimasti solo noi tre.

– Topeesch! Stazione di Topeesch! – echeggiò rauca una voce nella nebbia.

Topeesch! Stazione di Topeesch! Topeesch! Stazione di Topeesch! Topeesch! Stazione di Topeesch! Topeesch! Stazione di Topeesch! Topeeesch! Stazione di Topeesch!

AGLIO, AGLIO, AGLIO

– Per cortesia, il castello di Topesch? – chiesi a un passante, un ratto alto e magro, con una palandrana di velluto grigio. Lui mi fissò a occhi sbarrati, strinse forte la collana d'aglio che portava al collo e sgusciò via nella nebbia senza dire una parola. Mia sorella sbuffò.

– Chiedo io. Tu non ci sai fare, è evidente! Scusi, ci può indicare il castello del conte Vlad Von Topesch? – chiese a una contadina.

– Iiiiiiih – gridò lei e corse via, agitando un braccialetto di spicchi d'aglio.

Entrammo nel negozio di souvenir davanti alla stazione. In vetrina, una tazza a forma di teschio, una piccola bara temperamatite, cartoline con la scritta *"saluti dalla Transtopacchia"*. Il roditore dietro il banco ci fissò incuriosito.

– Per cortesia, ci può indicare il *castello*...

– Sììì?

– ...*del conte*...

– Sììì?

– ...*von Topesch?*

A quest'ultima parola lui strabuzzò gli occhi. Afferrò la prima treccia d'aglio che gli capitò a tiro, se la infilò al collo e ci indicò la porta.

– Maleducato! – squittì Tea. – Bel modo di trattare i turisti. Se li può tenere, i suoi ricordini! Poi il tipo, cioè il topo, acchiappò con tutte e due le zampe la maniglia della saracinesca e l'abbassò precipitosamente.

Passammo davanti a un ristorante.

– Soufflé all'aglio, spiedini d'aglio, crostata all'aglio: che strano menù!

L'oste si affacciò.

Desidera cenare, signore?

– Desidera cenare, signore? – alitò.

– Nooo, grazie! – boccheggiai. – Saprebbe indicarmi il castello Von Topesch?

L'oste afferrò un bottiglione e tracannò quello che, a giudicare dalla puzza, doveva essere spremuta d'aglio. – Squiiit! – strillò, sbattendoci la porta sul muso. Perché gli abitanti di Topesch consumavano tanto aglio? Rabbrividii.

Si dice che l'aglio serva a tenere lontani i vampiri...

CHI HA VOLATO NELLA NOTTE OSCURA?

Non si vedeva a un palmo di muso: eravamo avvolti da, una grigia, umida, appiccicosa foschia. Ormai era scesa la notte, una notte senza luna e senza stelle. In quel momento un

lampo improvviso squarciò il cielo nero.

– Ecco il castello – gridò Benjamin.

Intravidi un castello dalle guglie appuntite.

– Qui ci vuole una foto! – gridò soddisfatta Tea, acchiappando la macchina fotografica.

In quel momento udimmo un rumore. Una bizzarra macchina a vapore saliva sbuffando lungo il sentiero. La guidava un topo che pareva gobbo, vestito di nero, con un cappuccio tirato fin sulla punta del muso. Lo strano roditore cantilenava, senza staccare una parola dall'altra:

– *Chihavolatosullealidelpipistrel-lo?*
Ilsegretoèproprioquel-lo.
Ilsegretoèproprioquel-lo!
Chihavolatonellanotteoscu-ra?
Ohchebrivido, ohchepau-ra!

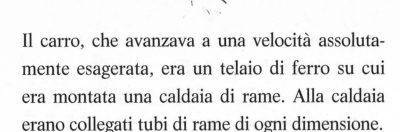

Il carro, che avanzava a una velocità assolutamente esagerata, era un telaio di ferro su cui era montata una caldaia di rame. Alla caldaia erano collegati tubi di rame di ogni dimensione.

Ogni tanto il topo tirava una catena e da un tubo più largo degli altri usciva sbuffando una nuvola di fumo, al che lui tossiva come se si stesse strozzando.

Per non essere visti, ma soprattutto per non essere investiti da quel folle roditore al volante, ci tuffammo nei cespugli spinosi che crescevano ai lati della strada.

– Ih ih ih! – sghignazzava lui, scampanellando sfacciato.

Proseguimmo la marcia verso il castello, ma circa mezz'ora dopo...

– Guardate! Guardate là!

Una bizzarra macchina a vapore saliva sbuffando...

Nel cielo nebbioso intravedemmo una sagoma nera che volava in linea retta.

Era a forma di pipistrello, di pipistrello gigante, con un'apertura alare di almeno trenta code!

Lo strano oggetto volante pareva provenire dal castello, e sembrava diretto al villaggio.

Passò alto sopra le nostre teste e in un attimo sparì in una nube.

– Che cos'era? – chiese spaventato Benjamin.

– Non lo so – rispose Tea – ma comunque l'ho fotografato! – concluse soddisfatta.

GHIACCIOLI SUI BAFFI

Ci vollero tre ore per arrivare in cima al picco.
Il castello era irto di guglie che in alto si perde-
vano nella nebbia.

– Hai dei ghiaccioli appesi ai baffi! –
mi fece notare mia sorella.

Che freddo! Benjamin mi si era
infilato sotto il cappotto e di
lui spuntava solo la coda.
Girammo attorno alle mura,
per cercare una via d'acces-
so; io notai un grosso tubo
dall'apertura circolare,
nel fossato del castello.

Chiamai i miei compagni.

– Venite da questa parte! Forse ho trovato un passaggio!

Quatti come ratti, entrammo uno dopo l'altro.

Annusai l'aria: – Queste devono essere le fogne del castello!

Mi guardai attorno: le pareti trasudavano umidità e le gocce cadevano a terra con un rumore sordo. Tenendoci per la zampa, ci avviammo verso la fine del tunnel, che terminava con una piastra di ferro.

ODIOSA,
QUELLA TIPA LÌ!

Sbucammo nel cortile del castello. Ad un tratto udimmo scampanellare.

– *Arrivosubitopadrone!* – gridò una bizzarra voce nasale, senza prendere fiato tra una parola e l'altra. Era il roditore che avevamo incontrato sul sentiero.

– *Uffaarrivoarrivounpo'dipazienza!* – strepitò, scendendo le scale a quattro gradini per volta, quasi rotolando. Era basso, anzi, più che basso era curvo. Grasso, anzi, più che grasso, era tondo. La testa era incassata nelle spalle, quasi fosse senza collo. Aveva buffi occhi a palla e la coda era storta. Il suo aspetto non

era miglio-
rato dal fatto di
avere un orecchio
sfrangiato, come se
un gatto lo avesse
morso lasciandogli il segno
dei denti. All'altro orecchio,
quello sano, portava un orecchino d'argento.
Il gobbo con un salto si aggrappò alla chiave e
la girò nella serratura del portone.

– *Bentornatoalcastellopadrone!* – borbottò,

inchinandosi
fino a sfiorare
il pavimento
coi baffi. Il portone
si spalancò ed entrò
un individuo ancora più
strano del primo.

Alto e magro, dal muso affi-
lato, indossava una cappa rosso
porpora che scendeva fino a terra. Gli
occhi avevano un bagliore malinconico e

i baffi pendevano all'ingiù, come se non ridesse da secoli.

Dopo di lui entrò una topolina bionda, che indossava una cappa di seta scarlatta.

– Ti sei ricordato di prepararmi il bagno caldo? – squittì, rivolta al gobbo.

– *Bagnocaldo?Qualebagnocaldo?* – rispose lui, e mi parve che ridesse sotto i baffi.

– Nessuno mi ascolta, in questa casa! Non ho neanche una cameriera personale! Quale contessina non ha una cameriera personale? – si lamentò lei, poi si avviò verso lo scalone, facendo svolazzare la cappa di seta.

Tea mormorò: – Odiosa, quella tipa lì!

GONNNGGG!
GONNNGGG!

Li seguimmo di nascosto all'interno del castello: il gobbo sgattaiolò in cucina.

Afferrò una pentola e tentò di mescolare con un cucchiaione la minestra, ma era tanto densa che il cucchiaio ci rimase incollato.

– *Acc! Permillesalamandreinsalamoia!* – strillò il gobbo, e iniziò a tirare con tutte le sue forze. Il cucchiaio si staccò di colpo con un rumore di risucchio, come una ventosa, e finì contro il muro, rimanendoci incollato. Il gobbo meditò per un attimo con aria pensierosa, ridacchiò sotto i baffi e corse a servire la minestra. Poi saltellò verso un enorme gong e lo colpì con

GONNNGGG! GONNNGGG!

un martellone, facendolo vibrare.

Il conte e la contessina sedevano alle due estremità della lunghissima tavola. Il gobbo correva su e giù, servendo i padroni di casa. Notai con raccapriccio che versava nei calici di cristallo un liquido denso e rosso.

Rabbrividii.

– Com'è dolce! Nient'altro al mondo ha un gusto tanto delicato! – diceva la contessina.

Si asciugò i baffi con il tovagliolo: vi rimasero impresse delle tracce rosso *sangue*.

Dovetti appoggiarmi al muro. Svengo alla vista del *sangue...* anzi, al solo sentir nominare questa parola mi sento mancare!

POVERO TRAPPOLA!

– Esploriamo il castello, finché loro sono a tavola – mormorai. I corridoi bui erano illuminati solo dalla luce fioca delle torce. Quante armature a guardia delle sale deserte!

E quante ragnatele alle pareti! Ovunque, uno strato di polvere spesso un dito ricopriva mobili e quadri.

– Povero zio Trappola. Sniff! Chissà che cosa gli è successo! – singhiozzava Benjamin, soffiandosi il naso.

Tea intanto scattava foto a raffica:

– Stupende, queste ragnatele. Realizzerò proprio uno scoop coi baffi! Mi chiedo come intitolarlo: forse...

"SANGUE IN TRANSTOPACCHIA"?

– Per cortesia, non nominare *quella* parola, la parola *sangue!* – sussurrai, impallidendo. Improvvisamente le candele proiettarono un'ombra scura...

TRIP
VON TRAPPEN

Davanti a noi si materializzò il fantasma di un topo, bianco fino alla punta dei baffi.

Il fantasma ci strizzò l'occhio.

– Ohilà, cugini! Chi non muore si rivede, eh?

– Trappola! – strillammo – Sei vivo?

– Vivo e vegeto! Perché, che cosa dovrei essere? Defunto?

Poi sbuffò, sollevando una nuvola di polvere bianca. – Stavo giusto tirando giù da uno scaffale un sacchetto di farina, e pfff...

Mi ci volle un po' per riprendermi dall'emozione. Poi balbettai: – Ma, Trappola, la telefonata? Eravamo preoccupati per te!

– Che telefonata? Ah, sì... stavo friggendo delle
cavallette cioè frullando dei moscerini ma questo te lo spiego dopo se no non capisci e allora
vedi stavo giusto affettando un ragno gigante
no in verità era un bruco peloso e poi stavo
facendo un brodino di mosche e un frullato di
pulci quando è entrato coso cioè lui e mi ha
detto Trappola perché non
hai ancora lessato le for-
miche e io gli ho
risposto ma che ti
importa tanto lo
faccio tra cin-
que minuti me
ne intendo di
cucina
veramente

me ne intendo di tutto però in cucina sono proprio eccezionale modestamente le pizze come me non le fa nessuno e allora gli ho detto di fare una bella pizza con le zanzare ci avete mai pensato eh ci avete mai pensato no vero perché dico io ma perché io sono più furbo a proposito t'ho mai raccontato che...

– Bastaaa! – lo bloccò Tea. – Allora, racconta: la telefonata?

– Ah, sì, mentre telefonavo avevo dimenticato sul fuoco i filetti di scarafaggio, che al conte piacciono al *sangue...*

– Non parlare di *sangue!* – lo interruppi. – E poi, che cosa sono questi piatti disgustosi?

Lui infilò i pollici sotto le bretelle ed

esclamò, con aria solenne: – Vi spiegherò dopo: adesso vi dò una notizia sensazionale! Avete mai visto in tivù la pubblicità di quell'agenzia che studia gli *alberi genialoidi?*

– Casomai, *alberi genealogici!* – ribattei.

Trappola abbassò la voce: – Dieci giorni fa ho chiamato l'agenzia. E sapete che cosa ho scoperto? Eh? Lo sapete?

– No – sospirai – E non sono neanche certo di volerlo sapere...

– È risultato che discendo (forse) dal nobilissimo casato dei Von Trappen di Transtopacchia! *Sangue blu,* non faccio per dire! – disse mio cugino.

– Non dire *quella* parola, per cortesia! Cambiamo argomento! – mormorai.

Trappola mi guardò con compatimento.

– Eh, si vede che siamo diversi! Del resto, il

sangue non mente. Il *sangue* non è acqua!

– Basta col *sangue!* – strillai.

– Del resto, non è colpa tua, se non hai *sangue* nobile nelle vene! – disse lui.

– Non voglio più sentire *quella* parola! Comunque, siamo cugini, sai? Se tu sei nobile, lo sono anch'io!

– Questo è da vedersi! – gridò Trappola. – Non cominciare a montarti la testa, eh? Comunque, volevo cercare sul posto le prove della mia origine: pare che in questo castello, secoli fa, abbia vissuto un mio nobile *capostitico!*

Io sbuffai. – Volevi dire *capostipite,* vero?

– Ecco, sì, quello che hai detto tu, insomma! Si chiamava 𝕿𝖗𝖎𝖕 𝖁𝖔𝖓 𝕿𝖗𝖆𝖕𝖕𝖊𝖓! – aggiunse, con aria sognante.

LASCIATEMI SVENIRE IN PACE, VI PREGO!

– Ma come hai fatto a farti ospitare dal conte Topesch? – chiese Tea.

Mio cugino ridacchiò.

– *He he he,* lui non sa delle mie ricerche. Mi sono fatto assumere come cuoco. A proposito, domani notte ci sarà un gran ballo, qui al castello. Devo pensare al menù. Il conte e la nipote hanno dei gusti strani. Non sopportano l'aglio, in compenso adorano i piatti a base di insetti! Contenti loro... – Trappola assunse un'aria pensierosa. – Sto pensando di cucinare un bel pasticcio di *sanguisughe* al *sangue,* con un ripieno di *sanguinaccio* e salsa alla *sanguinella.*

A proposito, lo sai che sei pallidino? Per *rinsanguarti* un po' ci vorrebbero delle belle bistecche al *sangue*!

– Pietà... – mormorai, afflosciandomi.

– Ma sei sempre più pallido, Geronimo! Si direbbe che tu non abbia una goccia di *sangue* nelle vene.

– Non parlare più di *sangue!* Non capisci che mi dà fastidio? – balbettai.

– Non farti salire il *sangue* alla testa, Geronimo! Non farti cattivo *sangue,* non ne vale la pena. Anzi, facciamoci una bella risata, il riso fa buon *sangue*. E soprattutto, manteniamo il *sangue* freddo!

– Grrr! – mormorai – se non la smetti ti mordo

lo orecchie...

– ... a *sangue?* – completò la frase mio cugino. Mi girava la testa.

– Geronimo! Respira a fondo! – disse Tea, dandomi uno schiaffetto per rianimarmi.

– Sì, respira a fondo, Geronimo! – strillò mio cugino, aggiustandomi uno schiaffone sull'altra guancia. Barcollai.

– Sta svenendo! – gridò Trappola, tirandomi altri due schiaffoni simmetrici, uno a destra e uno a sinistra.

– Sto benissimo! Non disturbatevi! Lasciatemi svenire in pace, vi prego...

Barcollai

AH,
ESTRELLA...

Trappola guardò l'orologio. – È tardi. Devo sbrigarmi, il conte ci tiene alla puntualità.

– Vlad Von Topesch: strano tipo, quello! – osservò Tea, che intanto fotografava il corridoio e le sale che vi si affacciavano.

– Ma se è così simpatico! E la nipote, la contessina Estrella, l'avete vista? – mio cugino sospirò, con aria sognante, e si posò una zampa sul cuore.

– Ah, Estrella, il suo nome è come una musica, per me. Peccato che sia già fidanzata, con un tipo che si chiama Nasutus Van Der Nasen, un ratto scialbo, niente di che... A proposito, che programmi avete? Voi vi trattenete o ripartite?

– Come? Non parti con noi?

– Ma se si sta così bene, qui. Che c'è di meglio di una bella vacanza in Transtopacchia?

– Stai scherzando? È un posto da brividi! – protestai.

Mio cugino ridacchiò. – Tutto regolare, qui. Tutto regol...

In quel momento si appoggiò alla libreria: la parete girò su se stessa e lui scomparve!

– Trappola! – gridammo. Ma nessuno rispose.

– Ci dev'essere un passaggio segreto – dissi.

All'improvviso udimmo dei passi.

– Presto, nascondiamoci!

Ci appiattimmo dietro un mobile. Appena in tempo! Il conte e la contessina avanzavano nel corridoio buio, preceduti dal gobbo che reggeva un candeliere d'argento. – Ci vogliono un maggiordomo e un valletto per il ballo di

Il conte e la contessina avanzavano nel corridoio...

domani notte. E a me serve una cameriera personale! Che ne pensate, zio? – squittiva la contessina. Il conte non rispose: procedeva cupo, avvolto nel mantello fino alla punta del muso.

– È quasi l'alba – sbadigliò lei. – Vi auguro la buona notte, zio! – disse, chiudendosi la porta alle spalle. Von Topesch e il gobbo sparirono in fondo al corridoio.

– Come potremo esplorare il castello senza dare nell'occhio?

– Idea! – disse Benjamin – Cercano un maggiordomo, un valletto e una cameriera...

– Bravo, piccolo – squittii, accarezzandogli le orecchiette. – Ci faremo assumere!

– Che cosa? Io sono venuta qui per fare uno scoop, non per rammendare le mutande a quella smorfiosa! – protestò Tea, ma inutilmente.

UNA CAPPA
DI SETA SCARLATTA

Uscimmo dal castello attraverso le fogne per presentarci al portone la sera del giorno dopo. Bussammo: ci aprì il gobbo.

– *Checosavolete?* – borbottò con voce nasale.

Io mi sforzai di assumere un'aria professionale.

– Forse cercate della servitù?

Il nano ridacchiò sotto i baffi e socchiuse il portone.

– *Vadoachiamarelacontessina!*
Aspettatequinell'atrio!
Pochi secondi dopo, udii un fruscio.
Mi voltai: la contessina era già lì!
– Come ha fatto ad arrivare così in fretta? – bisbigliò Tea, perplessa.
Estrella intanto ci osservava con aria critica, ma ciò che vide parve soddisfarla.
– Voi due andate nel guardaroba a mettervi la livrea, tu invece seguimi, devi stirarmi il mantello, cucirmi l'orlo della cappa di seta scarlatta, arricciarmi e incipriarmi la parrucca, poi devi lucidare le fibbie delle scarpine di seta e... prima del ballo ci sono mille cose che *tu* devi fare!
Fece un cenno sdegnoso a Tea e si avviò verso la sua camera.
Mia sorella mi fulminò con lo sguardo.

Io feci finta di niente e mi avviai verso il guardaroba, seguendo il gobbo che ridacchiava sotto i baffi.

DODICI
RINTOCCHI

Il gobbo indicò un armadione.

– *Lìcisonoleuniformi... eseviservequalcosachiedete!*

– Certo, signor... qual è il vostro nome?

– *Chefreddofastasera!* – squittì lui.

– Sì, davvero, fa proprio freddo! Ehm, ma come vi chiamate?

– *Chefreddofastasera! Chefreddofastasera!*

Io continuai: – Certo, certo, fa proprio

freddo! Ma come vi chiamate, per cortesia?

– *Chefreddofastasera!* Il mio nome è *Chefreddofastasera!* – ripeté lui, pestando le zampe per terra, spazientito.

Benjamin fu il primo a capire. – Certo, signor Chefreddofastasera, ci mettiamo l'uniforme e cominciamo subito a lavorare!

Il gobbo saltellò fino alla porta.

– Dobbiamo togliere le ragnatele? – chiesi.

– *Leragnatelenonsitoccano!* – strillò lui, inviperito. – *SonodelSettecento!*

– Non dobbiamo neanche spolverare?

– *Nooo! È polvered'antiquariato!*

– Allora, dobbiamo lucidare l'argenteria?

Il gobbo saltellò inorridito.

– *Lucidarla? Nooooo!*

Vimozzolezampesesolociprovate!

– E allora che cosa dobbiamo fare?

– *Andategiùin-
cucinaadaiutareil-
nuovocuoco!*
Poi si allontanò,
accarezzando con
lo sguardo le ragna-
tele che pendevano
qua e là e mormoran-
do tra sé:
– *Vandali! Lihofermatiap-
penaintempo...*
In quel momento sentii
un orologio battere l'ora:
– Don, don, don, don, don,
don, don, don, don, don, don...
Contai i rintocchi: erano dodici.
– Mezzanotte! Brrrrr, l'ora dei fantasmi! –
mormorò Benjamin, afferrandomi la zampa.

ROSSO CILIEGIA
O ROSSO FRAGOLA?

Ci avviammo lungo il corridoio deserto. A un tratto udimmo un ronzio provenire dalla torre più alta del castello.

– Si direbbe il rumore di un motore! – dissi, con l'orecchio appoggiato alla porta che conduceva alla torre.

Il rumore aumentò, poi improvvisamente cominciò a diminuire e infine svanì. In quel momento udimmo delle voci provenire da una stanza che si affacciava al corridoio.

Riconobbi la voce della contessina Estrella.

– Mi hai stirato l'abito? Non ancora? Attenta! Attentaaa! Così lo bruci!

Sentii Tea sbuffare, poi la contessina riprese:
– Spazzolami la pelliccia. Piano, così mi tiri i
riccioli. Un po' di delicatezza, che diamine!

Raccoglimi il fazzoletto, mi è caduto!

Seguì una pausa di silenzio.

– Ecco, adesso verniciami le unghie con lo smalto rosso. Poi arricciami i baffi, e incipriali con la polverina dorata.

La udii sospirare. – Devo decidere se mettere la cappa color rosso ciliegia, color rosso fragola o color rosso pomodoro. Tu che ne pensi? Non importa, tanto decido io!

Poi la contessina gridò stizzita: – Cosa? Non hai ancora messo nel vaso le trentaquattro dozzine di rose rosse che mi ha mandato il mio fidanzato, il conte Nasutus Van Der Nasen? – poi sospirò sottovoce: – Ah, Nasutus! Poverino, così gentile, ma così noioso...

Infine la udii gridare: – Fermaaaa! Non toccarmi. Non togliermi la cappa. Faccio da sola!!!
Udii dei passi: qualcuno uscì e richiuse la porta. Era mia sorella!
– Allora? Hai scoperto qualcosa? – bisbigliai.
– Uhmmm, c'è qualcosa di strano. Si fa servire di tutto punto, ma non vuole che la aiuti a spogliarsi. Non si toglie mai di dosso quella cappa lunga fino ai piedi. Chissà che cosa nasconde sotto? Poi ho notato un'altra stranezza. Me la ritrovo sempre alle spalle, come se si spostasse rapidamente e senza rumore! Comunque, quella lì è proprio insopportabile! – concluse mia sorella, stizzita.
– Però è molto carina – dissi io timidamente.
– Sì, in effetti è proprio carina! – ripeté Benjamin.
– Dici? Ma che cosa ci trovi? Non hai visto

che ha il naso grosso?

– Ha dei bellissimi occhi – aggiunse Benjamin con aria sognante. Tea lo fulminò.

– Perché non vai tu a verniciarle le unghie con lo smalto, allora? A proposito, ha delle unghie affilate come artigli! Se ti fa una carezzina sul muso, te lo affetta a sangue!

– Ti prego, non dire *quella* parola... – rabbrividii.

– Quale parola? *Sangue?* – strillò mia sorella.

– Ma allora lo fai apposta! – strillai a mia volta.

Benjamin mi tirò per una zampa.

– Guardate, quella dev'essere la stanza da letto del conte. La porta è aperta!

LA PORTA ROSSA

– Proviamo a entrare – mormorò Tea, sfilando dalla tasca del grembiule la macchina fotografica.

Scattò una panoramica del corridoio, dove erano appesi ritratti di antenati.

Poi, un primo piano della porta, foderata di velluto rosso.

– Ma scusa, non dovevi andare a stirare l'abito della contessina?

Tea sogghignò.

– Le stirerei le orecchie, a quella lì. Aspetta che troviamo Trappola e poi la sistemo!

Socchiudemmo la porta. L'interno della stanza

era foderato di velluto
rosso, rosso era il tap-
peto che ricopriva il
pavimento, di rosso
era dipinto il soffitto.
Ci avvicinammo al letto
a baldacchino, foderato
di tende di raso rosso. Ma...
mancava il materasso! Inchiodato al
muro, uno strano gancio di ferro.
Notai un bicchiere in cui galleggiava una den-
tiera. Che canini appuntiti aveva il conte Vlad!
Poi mi accorsi che sul comodino c'era un bicchiere di cristallo, colmo di un liquido rosso.
Che fosse *sangue?*
– Svengo! – annunciai.

GUARDATE LÀ!

Mi calò un velo nero sugli occhi: mi risvegliai dopo un tempo indefinibile... Udii di nuovo un rumore provenire dalla torre più alta. Poi di colpo ritornò il silenzio.

Tea sbirciò fuori dalla finestra: – È l'alba...

– Sta arrivando il gobbo! – bisbigliò Benjamin, che era rimasto fuori dalla porta.

Lui saltellò verso di noi, fregandosi le zampe soddisfatto.

– *Tuttoprontopergliospiti?*

Tea parlò per tutti noi. – Abbiamo finito!

Il gobbo sbadigliò. – *Bene, allorapossoandarea-dormire. Domanidovremoalzarciprestissimo, allequattrodelpomeriggio!*

Passarono le ore. I tre strani abitanti del castello dormivano, ma noi non avevamo sonno! Trascinando le zampe, depressi, ci avviammo lungo il corridoio.

Tea mormorava: – Chissà dov'è Trappola. Se penso che lo avevamo ritrovato...

Fu Benjamin ad accorgersi per primo della macchia rossa.

– Guardate là! – balbettò, indicando una chiazza che si allargava a vista d'occhio, allagando il corridoio. Il liquido proveniva da una porta chiusa, da cui filtrava un filo di luce. Ci avvicinammo in punta di zampe.

– Shhh, fate piano! – mormorò Tea.

Improvvisamente la porta si spalancò su uno spettacolo tremendo.

Al centro della stanza c'era Trappola, ricoperto di *sangue* dalla testa ai piedi!

La macchia rossa si allargava intorno a lui, spandendosi sul pavimento.

– Tra... Trappola... – mormorai.

Lui agitò la zampa, schizzando liquido rosso a destra e a manca.

– Allora non siete partiti, eh? Avete fatto bene a restare: sentirete che delizia, il menù di stanotte! Poi, fischiettando, si voltò e tolse dal forno un pentolone fumante.

Mi guardai attorno: ci trovavamo nella cucina del castello.

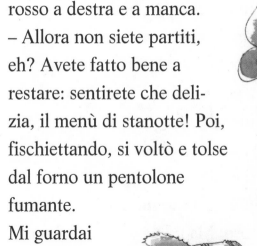

POLPETTINE
DI PIRANHA

– Trappola, va tutto bene? – chiese Tea.

– Va male, va malissimo, sono in ritardo su tutto il programma! – sbuffò mio cugino.

– Devo ancora pelare i bruchi, scottare sulla piastra le sanguisughe, friggere le pulci. Meno male che ora ci siete voi ad aiutarmi!

– Ma che cosa ti è successo?

– Oh, mi è caduto addosso un barilotto di conserva di pomodoro. Ma non è grave, ne ho dell'altra in dispensa. Allora, vediamo un po'. Tu, Geronimo, puoi lessarmi i filetti di squalo e friggermi le polpettine di piranha? Attento ai piranha, ce ne deve essere qualcuno ancora vivo. Quindi, occhio alle dita!

Lo interruppi, affannato: – Trappola, per fortuna ti abbiamo trovato. Non sai che cosa abbiamo scoperto! Questi Von Topesch sono tipi stranissimi, dormono di giorno e stanno svegli di notte, anzi non si capisce dove dormano perché i letti non hanno materasso! – rabbrividii. – Poi c'è un enorme pipistrello che gira di notte...

Tea continuò:

– È vero, Trappola, bisogna partire subito, finché siamo in tempo!

Trappola conti- nuava a cuci- nare come

se niente fosse. – Strani? Dite che quei tre sono strani? Ma siamo tutti strani, a questo mondo! Guarda Geronimo, per esempio, ti sembra normale? – ridacchiò.

– Ma adesso parliamo di cose serie, chi di voi si offre volontario per andare ad acchiappare un po' di vespe? Ci voglio fare un frullato.

– Un frullato di vespe? – chiesi, inferocito. – Te lo puoi scordare!

– Tsk tsk tsk... – mormorò lui. – Una volta tanto hai ragione, le vespe non vanno, troppo banale: una granita di mosche mi sembra più raffinata, magari potrei guarnirla con una fettina di fungo! Ci dev'essere qualche bel funghetto giù in cantina, vicino alla carbonaia...

IL SEGRETO DEL NOBILTOPO

Si avviò verso la scala a chiocciola che portava
ai sotterranei del castello. La porticina di legno
sbatté dietro di lui.

– Basta, ce ne andiamo! – dissi, afferrando
Benjamin per la zampa.

– Va bene, andiamocene! – continuò mia sorella. – Tanto, ho scattato abbastanza foto per
il mio servizio. – concluse, soppesando la
macchina fotografica. – Aspetta, un'ultima foto al camino, con il primo
piano delle pentole di rame.
Improvvisamente...

squiiiiiiiiiiiiiit!

Un urlo tremendo ci fece accapponare la pelliccia. Corsi verso la porticina del sotterraneo: la spalancai.

– Trappola! Trappola, che cosa è successo?

Mio cugino corse su per le scale, ricoperto di fuliggine dalla punta delle orecchie alla punta della coda.

– L'ho trovato, l'ho trovato! – gridò, con i baffi che vibravano per l'eccitazione.

Poi improvvisò un balletto sull'ultimo scalino,

indicando un cofanetto di legno con le iniziali T.V.T.

– L'ho trovato per caso, era in cantina, proprio dietro a una cesta di carbone. Guardate: T.V.T., le iniziali di Trip Von Trappen!

Emozionato, aprì il cofanetto e ne trasse una miniatura che raffigurava un topo grassoccio, con i baffi arricciati e dall'aria ribalda. In effetti, assomigliava vagamente a mio cugino. Trappola rovistò nel cofanetto.

– C'è anche una pergamena! – mormorò srotolandola. – Sentite qua!

Poi si schiarì la gola e iniziò a declamare in tono solenne: – Nell'anno decimosestoquinto dell'Era del Ratto, entro i confini del Granducato di Topisteria, sotto il Regno dell'Eccellentissimo, Nobilissimo, Stramagnifico Granduca Robiolone di Grangrana, viene conferito il titolo di Nobiltopo...

Trappola si interruppe.

– Nobiltopo? Peccato, speravo di meglio, un titolo di barone, conte, duca...

Riattaccò a leggere.

...viene conferito il titolo di Nobiltopo a Trip Von Trappen, noto in tutto il Granducato...

Trappola era emozionato. – Sentito? In tutto il Granducato, eh eh eh!

– ...Trip Von Trappen, la cui arte sopraffina...

Trappola si fermò un attimo, sospirò felice, e poi continuò a leggere.

– ...viene quindi conferito il titolo di Nobiltopo a Trip Von Trappen, per i suoi eccelsi meriti di...

Vidi Trappola impallidire, sbiancare, barcollare.

– Beh, va' avanti! Leggi! – insistemmo noi.

Mio cugino arrotolò la pergamena, sedette

sullo scalino e si asciugò il sudore che gli colava dai baffi.

– Allora? Leggi, no? Adesso arriva il bello! Perché è diventato Nobiltopo? – chiese mia sorella, scattando un primo piano del blasone nobiliare.

Trappola rimise la pergamena nel cofanetto.

– Niente, niente, ve lo leggo dopo. Allora, chi apparecchia la tavola?

Tea sbirciò la pergamena. – Che c'è scritto, eh? Che cosa dice?

Trappola strinse la pergamena.

– Giù le zampe!

Non si tocca!

Tea fu più lesta
e gliela sfilò
di sotto la
zampa.

– Fa' vedere! I tuoi antenati sono anche i miei! – gridò Tea. Poi lesse ad alta voce:

– ...per i suoi meriti di *decoratore di vasi da notte?*

Trappola singhiozzò, nascondendo il muso contro la parete.

– Che delusione! Datemi la vostra parola che non lo direte a nessuno, vi prego!

Tea tentò di consolarlo. – Dopotutto, Trip Von Trappen era davvero nobile!

Trappola singhiozzò, ancora più disperato.

– Sì, ma a chi lo posso raccontare? Pensate a che cosa direbbero i miei amici a Topazia!

Ecco
LE CARROZZE!

In quel momento la porta della cucina si spalancò ed entrò il gobbo saltellando.

– *Staarrivandoilprimoinvitato!*

Si affacciò alla finestra e spiò una carrozza che saliva verso il castello.

– *Chescreanzato, nonsiarrivainanticipoaunballo!* – strillò correndo alla porta.

– E adesso che si fa? – chiesi.

Trappola si asciugò le lacrime.

– Mi farò forza e servirò comunque la cena. Vi prego, restate anche voi ad aiutarmi, fino alla fine del ballo. Poi partiremo insieme. Vi prego, vi prego, vi prego!

Io, Tea e Benjamin sospirammo.

– Va bene, cugino, restiamo. Alla fine del ballo, però, si parte... promesso?

– Parola di roditore! – squittì Trappola.

In quel momento udii una voce femminile, che strillava: – Il mio abito! Dov'è finita la cameriera?

Era la contessina Estrella.

Tea si avviò, scura in volto, io e Benjamin ci affrettammo verso il salone.

Il portone si spalancò, e il gobbo declamò a squarciagola: – *IlMarchesediSangueDolce, laBaronessadiVoloRadente!*

Intanto altre carrozze entravano nel cortile del castello, le ruote che cigolavano sulle pietre sconnesse del selciato.

Lui si sgolava, annunciando uno dopo l'altro ospiti sempre più illustri.

– *IlGranducad'Alad'Argento,*
ilPrincipediPlanataSconnessa,
ilContediPicchiataRovente,
ilBaronediGlobuloRosso,
ilMarcheseEctorPlasma,
ilConteNasutusVanDerNasen!
Gli invitati, tutti abbigliati con cappe di seta
lunghe fino ai piedi, scivolavano solenni
nel salone, accolti dal conte Von
Topesch, impassibile come sempre.

MIO
EROE!

Improvvisamente tutti gli invitati si voltarono,
fissando la scalinata di marmo che portava al
piano superiore.

In cima alle scale, avvolta in una nuvola di tulle rosso fuoco, c'era la contessina Estrella. Udii un sospiro e mi girai: era Trappola, che reggeva tra le zampe un pentolone di zuppa di piranha. Mio cugino aveva occhi solo per lei, per la contessina!

Estrella, con aria languida, mosse un passettino sulla scala di marmo, scoprendo vezzosamente la caviglia sottile.

Sorrise civettuola, poi lanciò un bacio a tutti i suoi ammiratori.

Trappola mormorò: – Che classe, che fascino!

Estrella scese un altro gradino. Ma scivolò, rimase per un attimo in equilibrio in cima alla scala e poi iniziò a rotolare giù...

Per un attimo, solo per un attimo, intravidi un ghigno soddisfatto sul muso di Tea. Trappola lasciò cadere il pentolone, regalandomi un pediluvio di brodo di piranha bollente.

– Ahiaaaaaa! – strillai.

Mio cugino scattò avanti più rapido di un giocatore di rugby.

– Hop, hop, hop! – strillò Trappola, lanciandosi su per la scala.

Nasutus Van Der Nasen, il fidanzato di Estrella, e altri giovani aristocratici tentarono di seguirlo, ma mio cugino era già avanti a tutti. Allungò le zampe e acchiappò al volo Estrella. La contessina lo fissò rapita.

– Mio eroe!

Trappola si schermì. – Niente, niente, sciocchezze, robetta da tutti i giorni. Ho fatto anche di peggio, cioè di meglio...

Mi accorsi che il povero Nasutus si era rifugiato in un angolino, e fissava i due con aria malinconica.

MA CHI È?
MA CHI SARÀ?

Gli aristocratici presenti commentavano l'accaduto sottovoce, invidiosi del successo di Trappola. Lui ritornò di corsa in cucina, gongolante: – Ho fatto mangiare la polvere a tutti quei nobilastri!

Poi riattaccò a cucinare, affettando un pezzettino di formaggio con un'enorme mannaia:
– Zac, zac zac, zac zac zac!

In quel momento udii la contessina Estrella gorgheggiare a voce altissima: – Il primo ballo? Carissimi, mi spiace, ma il primo ballo spetta all'eroe che mi ha salvato stasera!

Trappola in un guizzo si sfilò il grembiule e il cappello da cuoco e fece volare lontano le presine.

Trappola affettava un pezzettino di formaggio...

Poi si inchinò fino a sfiorare il pavimento coi baffi. – Contessina, sono onorato...

I due volteggiavano mentre l'orchestra di violini suonava una melodia romantica. Mio cugino sussurrava chissà che all'orecchio di Estrella: lei ridacchiava con aria vezzosa.

Intanto fioccavano i pettegolezzi: – Ma chi è, ma chi sarà? È un campione di rugby, no, è un agente segreto, no, è un nobile decaduto, no, è il cuoco del castello!

Tea ribolliva di rabbia. – Quella strega! Voi maschi siete proprio degli ingenuoni...

Benjamin invece fissava ammirato la coppia che piroettava sulla pista da ballo.

– Come balla bene il valzer, lo zio Trappola!

Io fingevo indifferenza, ma, devo confessarlo, invidiavo mio cugino: avrei voluto essere al suo posto!

...si inchinò, sfiorando il pavimento coi baffi...

PIZZE AL SUGO
DI FORMICA

La serata sembrò volare, finché improvvisamente l'orologio iniziò a battere i rintocchi:

Don, don, don, don, don, don, don, don, don, don, don, don...

Contai i rintocchi: era già mezzanotte!
Annusai l'aria. – Che puzza! Ma che cos'è?
Un fumo nero proveniva dalla cucina. Feci dei gesti frenetici a mio cugino: lui capì al volo, sprofondò in un inchino, baciò la zampa a Estrella e in un attimo sparì.
– Ma dov'è andato? Dov'è fuggito? Com'è

misterioso, quel roditore! – spettegolavano curiosi gli invitati.

I violinisti ripresero a suonare, mentre tutti chiacchieravano fitto fitto, commentando i piccanti avvenimenti della serata.

Io corsi in cucina. Trappola aveva aperto lo sportello del forno, da cui usciva un fumo nerastro.

– Il brodo di piranha è finito per terra, per colpa di Geronimo! – squittì. – Il pasticcio di sanguisughe è bruciato nel forno: colpa di Geronimo che non mi ha avvisato in tempo! Neanche il dolce si è salvato: doveva essere granita di mosche, ma le mosche sono volate via! Colpa di Geronimo, naturalmente... – disse, indicando una gabbietta vuota.

Io ero paonazzo dalla rabbia. – Ma che cosa dici? Che c'entro io col tuo menù? Perché dev'essere sempre colpa mia?

Tea cercò di mettere pace. – Non è grave!

– Non è grave? Vaglielo a dire tu ai trecentoquarantasette invitati che stasera, per cena, potranno rosic-

chiarsi le unghie! – squittì Trappola.

– Del resto, che cosa posso fare, a questo punto? Ahimé, in cucina c'è solo salsa di pomodoro!

Poi osservò distratto un barilotto che portava la scritta FARINA e un'anfora colma di olio d'oliva.

– Un momento: salsa di pomodoro, farina, olio d'oliva. Sono gli ingredienti della pizza!

– E la mozzarella, zio? – chiese Benjamin.

– Niente mozzarella, nipote! Farò delle variazioni sul tema. Accendete il forno! Faremo un figurone!

Il forno era già bollente, ci infilammo a tempo di record pizze su pizze, mentre Trappola, canterellando felice, faceva volare in aria i tondi di pasta da pizza come un giocoliere. Io andai a controllare la situazione in sala da ballo.

Gli invitati avevano l'aria affamata di chi ha danzato per ore e non vede l'ora di riempirsi lo stomaco. Seduti a tavola, tamburellavano nervosamente sulla tovaglia, rivolgendo sguardi speranzosi al corridoio che portava in cucina.

Mi inchinai solennemente al conte Vlad.

– La cena sta per essere servita!

In quel momento la porta si spalancò ed entrò un carrello carico di pizze.

Gli invitati si leccarono i baffi.

– Pizze al sugo di formica, pizze al lombrico piccante! – gridava Benjamin, servendo i piatti in tavola.

– Pizze? Mai assaggiate prima... ma sono deliziose! – erano i commenti che volavano qua e là. – Ma chi ha avuto l'idea? Chi le ha preparate? – chiedevano tutti.

...gli invitati avevano l'aria affamata...

La Barzelletta Che Funziona Sempre

Mentre servivo i piatti in tavola, tesi l'orecchio: mi parve di udire, lontano lontano, un ritmo pulsante, trascinante, a metà tra il rumore e la musica. Proveniva dalla cucina!
Notai che molti invitati ora tacevano, ascoltando come me la strana melodia.

Mi avviai lungo il corridoio, curioso

di scoprire l'origine del rumore, e finalmente spalancai la porta della cucina.

Trappola era in piedi sul lavello e martellava con un cucchiaione sulle pentole. Con la coda apriva e chiudeva il rubinetto del lavandino a tempo di rock, producendo rumori gorgoglianti. Benjamin invece percuoteva il bidone di metallo della spazzatura con una scopa e un forchettone.

Tutti gli invitati iniziarono a ballare, accalcandosi nelle enormi cucine del castello. Dopo circa mezz'ora Trappola smise di suonare.

– Continua tu! – disse a Benjamin, mentre Tea scattava foto su foto.

Io notai che l'unico che non ballava e non pareva divertirsi era il conte Vlad.

Cupo come sempre, osservava gli altri danzare con un'espressione malinconica.

Trappola sogghignò. – Adesso lo metto io di buon umore. Nessuno resiste alle mie storielle, soprattutto alla Barzelletta Che Funziona Sempre!

Si avvicinò al conte Von Topesch e sussurrò:
– La sapete l'ultima sui pipistrelli?
Nella stanza calò improvvisamente un silenzio
di tomba. Tutti gli invitati fissarono Trappola
minacciosi.
Lui mormorò all'orecchio del conte per attimi
che parvero interminabili.
Von Topesch rimase impassibile per qualche
secondo, poi i suoi baffi parvero fremere, ed
emise strani rumori gorgoglianti, come se stesse facendo i gargarismi. Poi si rotolò per terra,
tenendosi la pancia con le zampe e sghignaz-
zando a più non posso.
Gli invitati lo fissarono sbalorditi, poi attacca-
rono a ridacchiare anche loro, mentre
Trappola si guardava attorno soddisfatto.
– He he heee! L'avevo detto, che Funziona
Sempre!

LA RIVINCITA DI NASUTUS VAN DER NASEN

La contessina intanto si faceva strada tra gli ospiti, affannata.

– Dov'è? Dov'è? – squittiva.

Finalmente vide mio cugino.

– Vi ho ritrovato, finalmente. Ma che ci fate in cucina?

Trappola, appena la vide, lasciò il mestolo e corse verso di lei.

– Contessina, contessina! – squittì, gettandosi in ginocchio a baciarle la zampa.

– Sotto questo grembiule, il mio cuore arde d'amore per voi!

Lei sbatté le ciglia, con fare civettuolo. Poi i

due si appartarono in un angolo della cucina, sussurrandosi dolci parole.

– Come sono nobili i vostri sentimenti!

– Ahimé, di nobile ho solo quelli, i sentimenti!

– mormorò mio cugino. – Non ho né castello, né terre, né titoli nobiliari da offrirvi. Ma il mio cuore, il mio cuore è già vostro! E per sempre!

Lei si scioglieva a vista d'occhio.

– Ah, Trappola, non importa se non siete di nobile origine, la vostra personalità è travolgente, non ho mai conosciuto alcun roditore che vi stesse a pari!

Nasutus Van Der Nasen, il fidanzato ufficiale di Estrella, si schiarì la gola e fece timidamente un passo avanti, come per ricordarle che esisteva anche lui!

La contessina finse di non vederlo.

Trappola aveva gli occhi lucidi per l'emozione:
– Contessina... posso chiamarvi Estrella? Mi è concesso di sperare... di chiedere... la vostra zampa?
Lei si illuminò di felicità, poi spalancò la cappa in un impeto di gioia, per abbracciarlo.
Due immense ali scure si spiegarono di fronte a Trappola.
– Aaaaaaah! – impallidì mio cugino, e svenne.
Io corsi a rianimarlo.

Trappola riprese i sensi, mormorando: – Che incubo, che incubo. Ho sognato un pipistrello, anzi una pipistrella...

Poi rivide la contessina. – Aaaaah! – strillò di nuovo, nascondendosi dietro di me.

Lei si mise a piangere e gli si gettò ai piedi.

– Mio adorato, non abbandonatemi, vi prego!

Ma lui era irremovibile.

– Ora capisco tutto. La vostra è una famiglia di roditori con le ali: ecco perché vi piacciono gli insetti!

Lei piangeva disperata. – Ma che cosa c'è di male se mi piace il frullato di zanzare? E le sanguisughe al *sangue?*

Mio cugino insisteva, implacabile: – Ecco, sì il *sangue!* Confessa, è *sangue* che bevete a litri! – disse, indicando una caraffona colma di liquido rosso.

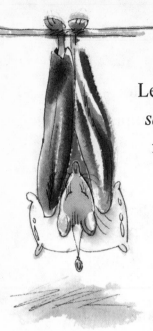

Lei si scocciò: – Ma che *sangue* e *sangue!* Quello è succo di pomodoro! Trovi da ridire anche su quello? Lui scosse il capo. – Siamo troppo diversi. Tu dormi di giorno e giri di notte. E magari dormi anche appesa a testa in giù!

Lei si offese: – Guarda che fa benissimo alla circolazione, sai?

Trappola borbottò: – Niente da fare, mia cara, spiacente, ma non se ne fa nulla! Sarai anche nobile, ma io non frequento roditori notturni!

Estrella si riavvolse nella cappa e singhiozzando si avviò verso la porta.

Nasutus Van Der Nasen la raggiunse e si gettò ai suoi piedi, baciandole l'orlo della cappa.

– Mia adorata, zanzarina mia, non ho mai

smesso di amarti, per me sei l'unica, ti amo così come sei! – mormorò appassionato.

I due spalancarono le ali, abbracciandosi, e così, stretti stretti, si avviarono nel corridoio.

L'ULTIMO MISTERO

Gli invitati non si erano accorti di nulla e continuavano a ballare. Molti avevano spiegato le ali e svolazzavano qua e là a tempo di rock! Ora tutto era chiaro. Il sangue era succo di pomodoro, i ganci servivano ai pipistrelli per dormire a testa in giù, i padroni di casa erano ghiotti di insetti perché è di insetti che si cibano i pipistrelli... ma l'aglio? Ah, ecco: il conte era allergico all'aglio! C'era ancora un mistero da spiegare: lo strano rumore che proveniva dalla torre più alta del castello. Lo udii proprio in quel momento e corsi verso la porta della torre. Intravidi il gobbo che infilava un paio di anti-

quati occhialoni da pilota, mentre correva su
per i gradini. Poi saltellò verso un enorme aereo
nero, dalle ali a forma di pipistrello. A bordo lo
aspettava Von Topesch, che ridacchiando
indossò una cuffietta di cuoio da aviatore.
Il gobbo si voltò e mi salutò, agitando la
zampa.

– *Vipiaceilnostroaereo*? *L'abbiamo*
ostruitoperchéilconteTopesch
hal'artriteenonrie-
scepiùavolare... –
strillò nel vento,
poi l'aereo
decollò.

LA STORIA PIÙ TRISTE CHE CONOSCO

Era quasi l'alba, il sole stava per sorgere. Ridiscesi le scale e attraversai il salone da ballo. Ovunque, calici sporchi di succo di pomodoro, avanzi di pizze rosicchiate qua e là, vasi di fiori rovesciati...

Gli invitati se ne stavano andando, ma ne trovammo uno addormentato, appeso a testa in giù dentro un armadio.

– Proprio un servizio coi baffi: le foto del ballo sono fe-no-me-na-li! – esclamò soddisfatta Tea, scattando le ultime foto.

– C'è un treno che parte alle sette – dissi, guardando l'orologio.

– Peccato, mi stavo affezionando al castello, alla sua polvere, alle sue ragnatele antiche di secoli! – sospirò Benjamin.

Ci avviammo lungo il corridoio del castello. Quando arrivammo davanti alla porta foderata di velluto rosso, udimmo uno strano rumore: qualcuno stava ridendo! La porta si spalancò e vedemmo il conte.

Von Topesch era sdraiato su una poltrona e ridacchiava tra sé.

– Noi stiamo per partire, vorremmo salutare... – iniziai a dire, ma mi accorsi che non poteva rispondere: non riusciva a smettere di ridere!

– Trappola, che si fa? – sussurrai preoccupato a mio cugino. – È ancora sotto l'effetto della barzelletta che gli hai raccontato. Fallo smettere, per carità!

Trappola rifletté un attimo, poi rispose, con

aria professionale: – Ho già visto casi del genere. La Barzelletta Che Funziona Sempre ha un effetto dirompente su certi soggetti. Ma lasciate fare a me!

Si avvicinò al conte, poi gli sussurrò all'orecchio per attimi che mi parvero interminabili. Von Topesch smise di ridere e iniziò a piangere a dirotto.

– Che cos'hai fatto? Che cosa gli hai detto? – chiedemmo ansiosi a mio cugino.

Lui infilò i pollici nelle bretelle: – Gli ho raccontato La Storia Più Triste Che Conosco. Funziona sempre! Piangerà circa per mezz'ora, poi gli passerà tutto!

Scendemmo le scale, preceduti dal gobbo.
Usciti dal portone, ci avviammo sul sentiero.
Io mi voltai per un ultimo saluto. Il gobbo,
sulla soglia del castello, sventolava un fazzolet-
tone. Ridacchiò sotto i baffi e strillò, scanden-
do bene le parole, questa volta:
**– Arrivederci, tornate presto, è stato proprio
un piacere avervi qui!**
Io rimasi a bocca aperta.
– Cosa? Cooosa? Ma allora... E perché
prima... Ma avete sentito anche voi? – chiesi ai
miei compagni.
Loro non mi udirono: erano già avanti, sul
sentiero. Mi voltai di nuovo verso il gobbo,
deciso a chiedere spiegazioni, ma lui era già
scomparso nella nebbia della Transtopacchia.

PROSSIMA FERMATA:
TOPAZIA!

Il viaggio di ritorno a Topazia ci sembrò persino più lungo di quello di andata.

Tea, euforica, dettava al registratore l'articolo sui castelli transtopacchi, Trappola era insolitamente silenzioso, mentre Benjamin, stanco per le emozioni, dormiva in braccio a me, avvolto nella mia sciarpa.

Mi affacciai al finestrino.

– Che bello tornare a casa. Per qualche anno – mi ripromisi – basta con i viaggi!

L'ALBERO
GENIALOIDE

Finalmente a casa! Mi infilai sotto le coperte,
stanchissimo. Ma a mezzanotte mi svegliai di
soprassalto: chi suonava il campanello? Infilai
la vestaglia e ciabattai fino alla porta.

– Ma chi è? Chi è a quest'ora?

– *Sono la voce della tua coscienzaaa...* –
echeggò lugubre una voce. Che fosse un
fantasma? Un fantasma della Transtopacchia?
Raccolsi tutto il mio coraggio e guardai dallo
spioncino: c'era Trappola, che mi faceva uno
sberleffo.

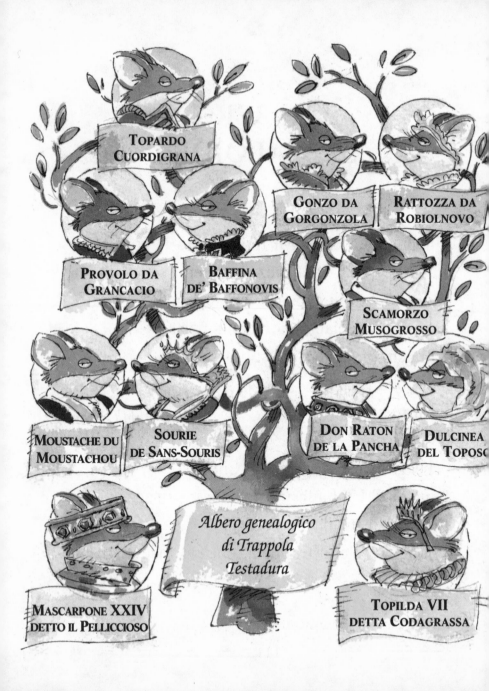

– Volevo spaventarti! – ridacchiò lui.

– Ci sei riuscito benissimo – sbuffai, aprendo la porta.

– La sai la notizia? L'agenzia si era sbagliata, non discendo dai Von Trappen, ma bensì (forse) da Moustache du Moustachou e da Sourie de Sans-Souris. Guarda, ho qui il coso, sì, *l'albero genialoide!*

– *Genealogico,* non genialoide! – sospirai.

– Il mio antenato – disse Trappola – era un famoso esploratore, aveva viaggiato in lungo e in largo nel deserto del Tophara... è proprio lì che vado adesso. A proposito, dopotutto i *miei* antenati sono anche i *tuoi,* quindi la fattura per il coso, sì, la pianta, *l'albero,* l'ho fatta intestare a te! Partiamo assieme, così dividiamo le spese del viaggio? C'è giusto un treno tra mezz'ora... Io gli sbattei la porta in faccia, gridando:

sPA–RI–SCI!

Mi sembrava di essere stato via un mese...

DI NUOVO
IN UFFICIO

La mattina dopo ero in ufficio. Telefonate, fax, e-mail... mi sembrava di essere stato via un mese, non pochi giorni!

In quel momento entrò mia sorella come un tornado.

– Guarda qua! – strillò, sbattendomi sulla scrivania una pila di fotografie. – Il castello si vede. Scale, cortili, armature, ragnatele. Ma degli invitati non c'è traccia! Quei brutti musi... vorrei sapere come sono riusciti a non farsi fotografare!

Esaminai le foto una per una, con la lente di ingrandimento. – In effetti – ammisi – non c'è

traccia del gobbo, del conte, della contessina, degli invitati. Il castello pare disabitato!

– Dovrò rinunciare al servizio speciale sulla Transtopacchia e i vampiri! – borbottò Tea.

Io sorrisi sotto i baffi. – Forse le leggende dicono il vero: i castelli transtopacchi sono abitati da fantasmi – ridacchiai. – Comunque, fantasmi o no, niente scoop per il nostro giornale, ma in compenso abbiamo trovato Trappola!

Mia sorella cambiò tono.

Appoggiò i gomiti sulla mia scrivania e sussurrò: – A proposito di Trappola, ti ho mai parlato del Tophara?

TOPHARA, TOPHARA, TOPHARA!

– Tophara? Che c'entra il Tophara?

– Sai, ho parlato con Trappola ieri sera. Mi ha fatto venire un'idea: un servizio esclusivo sui segreti delle oasi tophariche, con interviste al capo dei *Topareg*, i misteriosi *ratti blu*. Immagino già il titolo: *Tophara, Tophara, Tophara!*

– Che cosa? Prima mi porti in Transtopacchia, la regione più fredda dell'isola, dove la nebbia è più densa del mascarpone, talmente densa che la puoi spalmare sul pane! – mi interruppi per riprendere fiato.

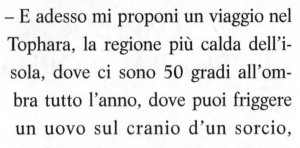

– E adesso mi proponi un viaggio nel Tophara, la regione più calda dell'isola, dove ci sono 50 gradi all'ombra tutto l'anno, dove puoi friggere un uovo sul cranio d'un sorcio, dove vivono scorpioni giganti lunghi quanto la coda d'un topo!

Mia sorella scrollò le spalle.

– Uh, come la fai lunga! Se non vieni offrirò il servizio alla *Gazzetta del Ratto!* Ti lascio cinque minuti per decidere – concluse, uscendo dal mio ufficio.

Rimasi solo: riflettei per cinque minuti. Mia sorella aveva fiuto, questo dovevo riconoscerlo. Immaginavo già i titoli a piena pagina sull'*Eco del Roditore...*

SPECIALE TOPHARA

L'ECO DEL RODITORE

DOSSIER
Tutte le verità
e tutte le bugie
sui *ratti blu*

SALUTE
I segreti dei *ratti blu*
per sopravvivere
a 50 gradi all'ombra

CUCINA
Le esotiche ricette al
formaggio piccante
dei Topareg

**Dal nostro
inviato speciale
Tea Stilton:
I misteri
dei Ratti Blu!**

VACANZE
Viaggi organizzati
nelle oasi tophariche

AVVENTURA
Corsi di sopravvivenza
tra le dune

**"UNO SCORPIONE GIGANTE MI HA
PUNTO LA CODA MA SONO SOPRAVVISSUTO!"**
racconta il capo dei Topareg.

INDICE

Geronimo Stilton

26. Halloween, che fifa felina!
27. Un vero gentiltopo non fa... spuzzette!

TOP-SELLER
È Natale, Stilton!
Halloween, che fifa felina!
Viaggio nel tempo

SUPERMANUALI
Il grande libro delle barzellette
Il mio primo manuale di Internet
Il mio primo dizionario di Inglese

• Il libro-valigetta dei giochi da viaggio
• La più grande gara di barzellette del mondo
• Un vero gentiltopo non fa... spuzzette!

W l'euro, è facile e divertente!
Il piccolo Libro della Pace

LIBRI PARLANTI
1. Il castello di Zampaciccia Zanzamiao
2. L'amore è come il formaggio...
3. Quattro topi nella Giungla Nera
4. Il mistero della piramide di formaggio
5. La più grande gara di barzellette del mondo

LIBRI ZAINETTO
• L'Amicizia è...
• L'Avventura è...
• L'Allegria è...
• La Scuola è...

...e tanti, tantissimi altri titoli
che Geronimo Stilton
sta preparando per voi!

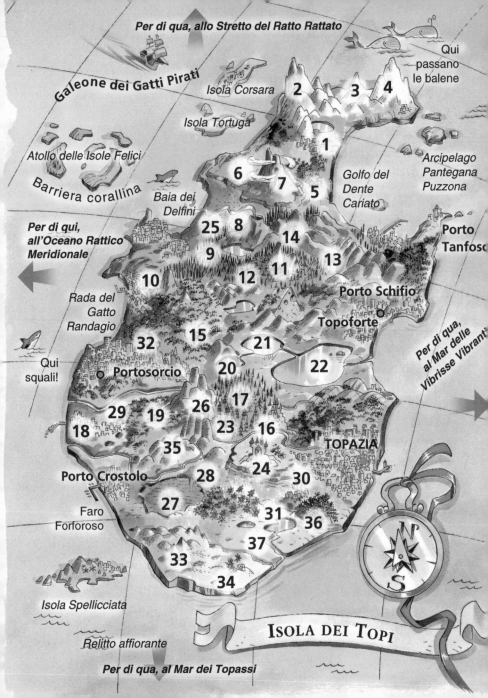

Isola dei Topi

1. Grande Lago di Ghiaccio
2. Picco Pelliccia Ghiacciata
3. Picco Telodoioilghiacciaio
4. Picco Chepiufreddononsipuò
5. Topikistan
6. Transtopacchia
7. Picco Vampiro
8. Vulcano Sorcifero
9. Lago Zolfoso
10. Passo del Gatto Stanco
11. Picco Puzzolo
12. Foresta Oscura
13. Valle Vampiri Vanitosi
14. Picco Brividoso
15. Passo della Linea d'Ombra
16. Rocca Taccagna

17. Parco Nazionale per la Difesa della Natura
18. Las Topayas Marinas
19. Foresta dei Fossili
20. Lago Lago
21. Lago Lago lago
22. Lago Lagolagolago
23. Rocca Robiola
24. Castello Zanzamiao
25. Valle Sequoie Giganti
26. Fonte Fontina
27. Paludi solforose
28. Geyser
29. Valle dei Ratti
30. Valle Panteganosa
31. Palude delle Zanzare
32. Rocca Stracchina
33. Deserto del Tophara
34. Oasi del Cammello Sputacchioso
35. Punta Cocuzzola
36. Giungla Nera
37. Rio Mosquito

Topazia, la Città dei Topi

Cari amici roditori,
arrivederci al prossimo libro.
Un altro libro coi baffi,
parola di Stilton, di...

Geronimo Stilton!